CW00419808

TU es le HÉROS !

Textes des jeux : Cécile Jugla
Mise en pages : Valérie Boyat et Nicolas Folliot

Loi n°49-956 du 16 juillet 1949 sur les publications destinées à la jeunesse,
modifiée par la loi n°2011-525 du 17 mai 2011.

Dépôt légal : janvier 2015

ISBN : 978-2-09-255730-3

N° éditeur : 10265042
Imprimé en juin 2020 par Graficas Estella
(Estella, Navarre, Espagne)

Dans la peau d'un chevalier

LE TOURNOI DE TOUS LES DANGERS

Texte de **Madeleine Deny**
Illustrations de **Jazzi**

Toi, le héros

Tu t'appelles Artus. Âgé de 18 ans, tu vas devenir chevalier. Tu es né au 12e siècle, en 1172 pour être précis, à Salisbury, au cœur de la campagne anglaise.

Pour la première fois de ta vie, tu vas participer à un grand tournoi. C'est le moment de faire tes preuves !

Au cours de ce roman, plusieurs choix vont s'offrir à toi ! À chaque fois, pèse bien le pour et le contre. Méfie-toi des chevaliers qui veulent te voler la vedette dans les tournois. Attention aussi aux disputes dans les tavernes ! Et surtout n'oublie pas de respecter le code de la chevalerie !

Mais tu ne seras pas seul dans l'aventure !

N'hésite pas à t'appuyer sur certaines personnes bienveillantes :

Ton écuyer, **Geoffroy**, qui veillera sur ta monture et tes armes.

Le célèbre **Guillaume Le Maréchal**, qui t'a appris à manier les armes.

Yseult, une gente demoiselle aux yeux de velours.

Ton histoire
dans la grande Histoire

Henri II Plantagenêt (1151 - 1189)

Henri le Jeune (meurt en 1183, sans avoir régné)

Richard Cœur de Lion (1189 - 1199)

Jean sans Terre (1199 - 1216)

Tes aventures se déroulent au Moyen Âge, sous le règne des Plantagenêts, c'est-à-dire du roi Henri II d'Angleterre, puis de son fils Richard Cœur de Lion qui lui succède. Guillaume Le Maréchal, qui t'a formé, a servi fidèlement les Plantagenêts. C'est l'un des plus célèbres chevaliers du Moyen Âge.

Comme le pouvoir des Plantagenêts s'étend sur l'Angleterre et sur une bonne moitié du royaume de France, tu te sens chez toi des deux côtés de la mer. C'est pourquoi tes aventures vont avoir lieu aussi bien en France qu'en Angleterre.

Tes exploits te feront gagner des points mais un bon chevalier n'est pas fait que de muscles ! Améliore ton score grâce aux quiz, discerne le vrai du faux en jouant à la fin du livre et coche en **47** les cases correspondant aux points que tu as gagnés (attention, tu ne peux cocher une case qu'une seule fois)... pour découvrir quel chevalier tu es devenu après toutes ces incroyables aventures !

Et maintenant, à toi de jouer !

1

C'est le grand jour ! Dans la cour du château de ton parrain Thibaut, baron de Salisbury, les serviteurs préparent avec soin ton adoubement, la cérémonie au cours de laquelle tu seras fait chevalier ! Ils s'affairent aussi pour organiser la fête qui va suivre et qui s'annonce des plus somptueuses.

En attendant, toi, tu n'es pas à la fête ! Avec deux autres jeunes gens, Raoul et Robert, tu viens de passer une drôle de nuit. On vous a d'abord coupé les cheveux, puis vous vous êtes lavés dans un grand baquet de bois rempli d'eau claire.

Au sortir du bain, ton parrain t'a vêtu d'une simple robe de lin. Vous avez ensuite prié ensemble à genoux dans la chapelle glacée, jusqu'au petit matin. À présent, tu es debout mais tu n'as qu'une envie : t'allonger à même le sol et dormir, dormir, dormir... Soudain Thibaut te sort de ta torpeur en disant :

– C'est l'heure de t'habiller, Artus ! Il te revêt alors solennellement d'une cotte brodée. Tu sors de la chapelle, suivi de tes compagnons. Le soleil te fait cligner des yeux. Au fond de la cour, tu aperçois toute ta famille, les serviteurs, les chevaliers et les gardes qui entourent ton père.

Pour continuer l'aventure, précipite-toi en 2 !

2

Geoffroy, le jeune écuyer de 15 ans désormais à ton service, a disposé sur une table ton équipement de futur chevalier. Il te passe d'abord un gambison, une épaisse tunique de cuir, puis des chausses de mailles et un **haubert.** L'armure pèse lourd mais des années d'entraînement et de batailles t'y ont habitué. Grave, tu t'avances vers le splendide destrier que Thibaut t'a offert.

À voix forte, ton parrain t'appelle. Comme le veut la tradition, il te donne la colée en te frappant amicalement la nuque, puis il t'offre ton épée, celle que tu garderas toute ta vie. Une fois monté sur ton cheval, tu saisis la longue lance de frêne que te tend Geoffroy. Thibaut s'écrie alors joyeusement :

– Cours fêter ton entrée en chevalerie et fais mordre la poussière à quelques-uns de nos vieux champions !

Si tu te présentes immédiatement au héraut qui organise le tournoi, va en 19.

Si tu préfères assister à quelques combats avant d'affronter tes aînés, va en 16.

réponse en 45

2. Le **haubert**, c'est :

A. une armure en plaques de fer.
B. un petit haut vert très moulant.
C. une chemise en mailles de fer.

3

Te voilà aux côtés du capitaine de l'équipe. Vous poursuivez tous les deux hors du terrain une poignée de combattants qui se réfugient derrière un bosquet avant de se rendre.

– Tu es vaillant et courageux, l'ami, te dit-il lorsque vous quittez, harassés, le champ jonché de lances brisées et de bannières en lambeaux où a eu lieu le tournoi. Si tu le veux, je te confie la garde d'un de mes châteaux. Tu surveilleras les vassaux alentours et tu pourras profiter d'un grand **fief**.

Quelle belle proposition ! Tu pourrais enfin devenir seigneur ! Mais celui qui flatte ainsi ton orgueil a la réputation d'être un homme impitoyable, qui mène la vie dure à ceux qui choisissent de se mettre sous ses ordres.

Si tu acceptes, va en* 9 *.

Si tu refuses son offre, va en* 16 *.

réponse en 45

3. Le **fief**, c'est :

A. un carosse attelé à 6 chevaux.

B. une terre offerte par un seigneur.

C. un fameux trésor.

4

Tu as très envie de te dérober à ses ordres, mais tu as un rendez-vous galant avec Yseult, cette nuit. Ce tour de garde tombe donc à pic, car il te permet de te promener dans le château à ta guise. Une fois le seigneur couché, tu rejoins la demoiselle dans une des tours d'angle du château. Tu commences à lui déclamer des poèmes. Soudain, des pas résonnent dans les **hourds.**

– Vite, passe par la tourelle pour rejoindre ton poste, te chuchote-t-elle, effrayée à l'idée que l'on vous trouve ensemble.

– Pas avant que tu ne m'aies promis de me revoir, lui réponds-tu en lui baisant la main.

Elle te repousse en riant…

***Si tu insistes, quitte à te trouver nez à nez avec son père, va en* 32.**

***Si, vexé par son geste, tu murmures quelques mots désobligeants avant de la quitter, va en* 30.**

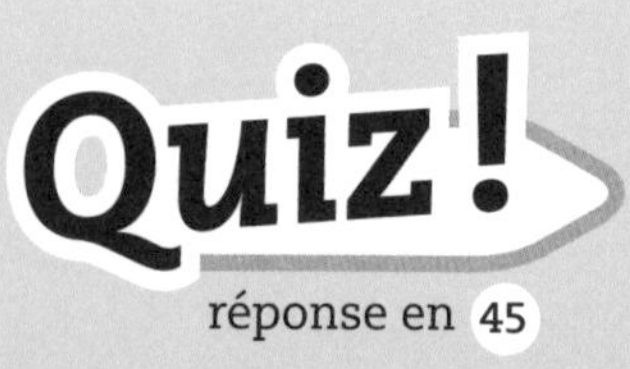

réponse en 45

4. Le **hourd**, c'est :

A. une galerie en bois construite en haut d'une tour ou d'une muraille.

B. un escalier en pierre creuse.

C. des toilettes en bois accolées à une tour.

5

Un chevalier te barre le passage. Avant que celui-ci ait eu le temps de saisir son arme, tu le fais rouler au bas de son cheval. Mais voilà qu'un autre se rue vers toi, l'épée pointée vers ton casque ! Tu lui transperces la cuisse avec ton épée, mais à son tour il plante la sienne dans le flanc de ton destrier. Tu sautes à terre avant que la bête blessée ne s'effondre. Tout se passe si rapidement que tu as à peine le temps de reprendre ton souffle ! Tu encaisses ensuite les coups les uns après les autres. Quelques mailles de ton haubert se déchirent sous la pointe d'une épée ennemie, qui réussit à t'entailler le dos. Tu t'enfuis sans demander ton reste.

Ta blessure est grave. Va vite te faire soigner en 12 !

C'est bon à savoir !

À partir du 13e siècle, pour les tournois ou la guerre, les chevaux sont protégés par une sorte d'armure en cuir et en mailles, le **caparaçon**.

6

Tu fonces droit sur eux, sautes à bas de ton cheval, dégaines ton épée et mets hors de combat l'homme qui tient la pauvre femme dans ses bras. Elle court se cacher dans les bois pendant que tu fais tourbillonner ton épée au-dessus des têtes des quatre autres bandits. Mais la bande de voyous te serre de près. L'un d'eux parvient à t'entailler le bas de la nuque et le dos. Malgré ta blessure, tu te bats comme un

beau diable. Et quand l'un des assaillants tombe évanoui sous tes coups, ses compagnons prennent la fuite. À bout de souffle, tu chancèles, le visage ravagé par la souffrance. La femme te prend la main.

– Sois remercié à jamais, beau chevalier, te dit-elle.

Tu parviens à la hisser sur ton cheval et à la conduire en lieu sûr, dans un village proche.

***Ta blessure est profonde. Va vite te faire soigner en** 12.*

7

Confus, tu essayes de t'expliquer, mais tu sais bien que tu as manqué à ton devoir de chevalier... Des hommes t'empoignent et te conduisent au château du seigneur voisin pour y être jugé. Quelques jours plus tard, tu défiles dans la rue sous les huées des villageois, puis tu es exposé sur la place du village : la tête et les mains emprisonnées dans un pilori, tu reçois des poissons pourris et des saletés en pleine figure ! On te crache dessus, on t'insulte, les gamins te pincent le nez... La punition est sévère. En attendant que l'on te libère, tu rumines ta colère et ton désespoir. Car tu sais que ta carrière de chevalier vient de prendre fin.

Ouh, là ! Tu as manqué à tous tes devoirs de bon chevalier ! Essaie de te racheter une conduite... en rejouant !

8

Les trompettes retentissent : ce sont les hérauts qui annoncent le début du tournoi ! Tu as juste le temps de te glisser dans les rangs de ton équipe. Tu plonges dans la mêlée, fonces sur un adversaire. Sous les yeux admiratifs des spectateurs, tu l'expédies à terre en un seul coup d'épée. Tes gestes sont précis, tes coups puissants, et le public est enthousiaste.

– Un champion est né ! hurlent-ils en t'applaudissant dès que tu fais tomber un cavalier. Vive Artus ! Mais au moment où tu diriges ton cheval vers le camp pour te reposer un peu, tu surprends un adversaire qui glisse à qui veut l'entendre :

– Artus est un tricheur ! Il a chargé son écuyer de repérer les vieux combattants qui tiennent à peine sur leur monture, et il ne combat que ceux-là...

Si tu le sommes de s'expliquer et le provoques en duel, va en 38.

Si tu préfères te plaindre au capitaine de l'équipe, va en 3.

C'est bon à savoir !

À la fin du Moyen Âge, lors des **joutes**, qui opposent deux chevaliers face à face au galop, les pointes des lances sont émoussées par souci de sécurité.

9

Tu es accueilli comme un sauveur par la fille du seigneur, car son vieil oncle chargé de gérer les terres vient de mourir. Tu deviens vite irremplaçable. Dans un premier temps, tu fais le ménage dans le domaine laissé à l'abandon : les intendants qui avaient mal surveillé les travaux des paysans sont renvoyés, les braconniers qui ont osé poser des pièges sur les terrains de chasse du seigneur sont fouettés. Tu rappelles aussi leurs devoirs aux paysans : effectuer les **corvées** et s'acquitter sans un jour de retard du paiement des impôts. Quant au château, il perd vite sa sinistre allure… Toi qui aimes les banquets, tu ne perds pas une occasion de festoyer en bonne compagnie !

Tu peux préparer une grande fête : on annonce le retour de croisade du seigneur en 18 !

réponse en 45

9. Les **corvées** des paysans, ce sont :
   A. des travaux non payés dus au seigneur.
   B. des allers-retours à la fosse à purin.
   C. des courses à pied de 45,2 km.

10

Magnanime, il accepte tes excuses.

– Si tu veux te perfectionner dans le métier des armes, mets-toi au service du roi, te conseille-t-il. Il a besoin de bons combattants pour soumettre ses vassaux révoltés.

Les jours qui suivent, tu décides de rejoindre l'armée anglaise dans le Poitou. Ta parfaite maîtrise du combat est immédiatement remarquée par un des barons. Son armée fait le siège d'un château : elle est sur le point de lancer l'assaut final.

Après de multiples tentatives, un **bélier** poussé par des dizaines de soldats vient d'enfoncer le lourd pont-levis.

– Suis-moi à distance ! hurle le baron.

À l'assaut ! On va veiller à ce que tu ne prennes pas un mauvais coup ! File en 36.

réponse en 45

10. Le **bélier** qui sert à enfoncer les remparts et les portes a l'aspect :

A. d'un joli mouton à la chaude toison blanche.
B. d'une poutre en bois garnie d'une tête en fer.
C. d'une gigantesque sculpture de bélier.

11

Hélas, la chevauchée tourne court : Geoffroy et toi êtes pris dans une embuscade. Les Sarrasins sont nombreux. Avec la poignée d'hommes qui t'accompagnent, tu rebrousses chemin au triple galop. Pendant la fuite, plusieurs d'entre eux s'effondrent, le corps criblé de flèches ennemies, mortellement blessés. Geoffroy fait malheureusement partie des victimes ! Bouillonnant de colère, tu dois l'abandonner… Tu n'as alors plus qu'une idée en tête : le venger.

– Aucun soldat sarrasin ne vivra en paix tant que je serai en Terre sainte, foi de chevalier ! jures-tu, un sanglot dans la voix, en galopant avec les rescapés pour rejoindre ton campement.

***Si tu décides de t'engager dans un ordre de chevalerie, va en* 43.**

***Si tu préfères rester dans l'armée royale de Richard, va en* 21.**

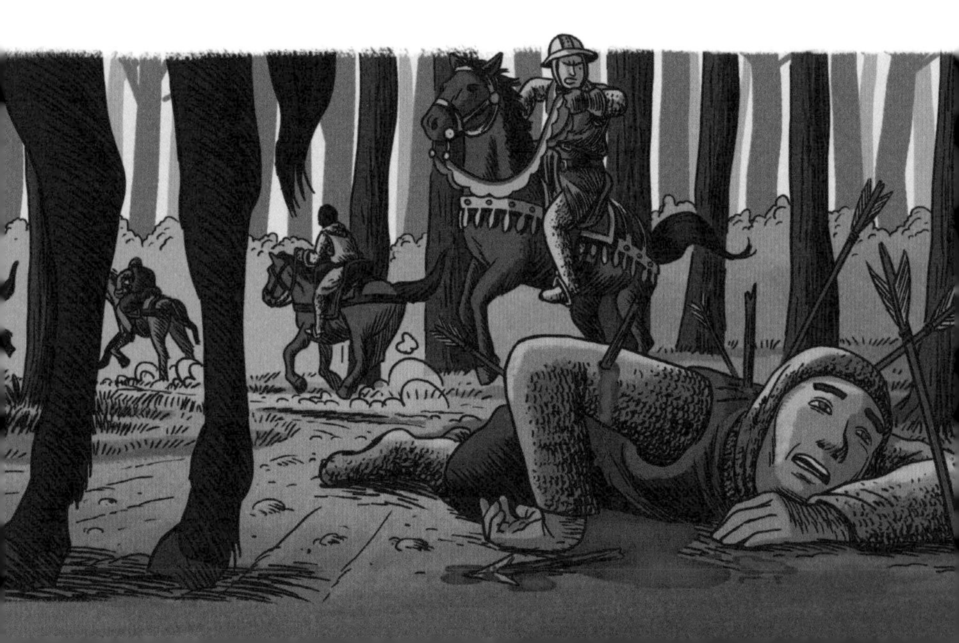

12 Les souffrances causées par ta blessure dans le dos sont bien peu de chose par rapport à la honte qui t'envahit : on t'accuse de n'être qu'un couard !

– Un chevalier blessé dans le dos n'est qu'un trouillard qui a fui ses ennemis !

– C'est un lâche !

– C'est un faible ! Ta réputation est gravement entamée. La rage au cœur, tu décides de fuir ces bruits déplaisants. Tu prends la route et, seul, tu erres pendant des semaines dans la campagne. Tu rejoindras ensuite une bande de brigands avec, comme unique souvenir de ta vie de chevalier, une cicatrice dans le dos !

Quelle injustice ! Quelle déchéance ! Tu avais pourtant combattu avec vaillance ! Chasse tes idées noires en rejouant.

C'est bon à savoir !

Un seigneur est le suzerain de chevaliers qui lui sont fidèles et qu'il doit protéger. Il est aussi le **vassal** d'un seigneur plus puissant qui le protège à son tour.

13 Après le banquet vient le temps des divertissements. Jongleurs, acrobates, montreurs d'ours exécutent avec adresse leurs numéros. Puis c'est au tour des poètes et des musiciens de chanter les exploits chevaleresques et l'amour courtois. À la fin du spectacle, les convives rassasiés se lèvent et vont grignoter le boute-hors, un mélange de vin et d'épices censé faciliter leur digestion. Au moment où tu t'y attends le moins, un serviteur te glisse à l'oreille un message bien désagréable : le mari de ta compagne de table t'attend avec ses hommes dans la cour du château. Il veut te montrer de

quelle façon il traite les chevaliers qui s'intéressent de trop près à sa femme ! Pour éviter la colère du vieux seigneur et les épées aiguisées de ses gardes, tu sais que tu n'as qu'une solution : fuir précipitamment la fête avec Geoffroy et gagner la Normandie. Heureusement pour toi, tu sais où aller : ton cousin Arnaud est l'un des seigneurs les plus puissants du duché.

Si tu décides de te faire engager dans le château d'Arnaud avec ton fidèle écuyer, va en **17**.

Si tu préfères aller tenter ta chance dans un grand tournoi qui s'annonce, va en **20**.

14

Au moment où il s'approche de ton cheval, tu parviens à heurter son épaule avec la pointe de ta lance. Sonné par la violence du choc, il est désarçonné et chute avec fracas !
– Petit ! s'exclame l'un des barons venu te féliciter après le duel. Que dirais-tu d'aller défier pour moi les plus grands tournoyeurs de l'autre côté de la Manche ?
Mais le baron se fige d'effroi en découvrant le visage de ton adversaire, dont l'écuyer vient de retirer le casque. Une dizaine de serviteurs se précipitent vers le jeune homme. Fou de rage, ce dernier se relève et crie :
– Nous nous reverrons, chevalier ! Sache que Bigot de Clifford saura prendre sa revanche en temps voulu !
Tu comprends que tu viens de mettre à terre un membre de la famille royale…

***Si tu cours lui présenter tes excuses, va en* 10.**

***Si tu préfères t'éloigner en attendant qu'il se calme, va en* 5.**

15

Tu franchis la porte, puis te retournes pour leur montrer qu'ils ne te font pas peur. C'est alors qu'un homme lance un pichet dans ta direction. Tu reçois tout son contenu en pleine figure ! Ce geste te rend fou… Tu bondis, agrippes l'agresseur par sa tunique et le frappes sauvagement. Les clients de l'auberge ont bien du mal à te maîtriser. Quand ils y parviennent, le mal est fait : celui que tu as poussé violemment dans un dernier accès de rage vient de tomber contre un banc de pierre… et de se briser le cou !

Tout ça pour une affaire d'écu flambant neuf !
Va vite découvrir ce qui t'attend en 7 .

C'est bon à savoir !

Au Moyen Âge, les **crimes** très graves sont punis de mort. Si le criminel est un noble, il est décapité. Sinon, il est pendu.

16

Tu veux absolument assister à l'unique combat que le grand, le célèbre Guillaume Le Maréchal va mener aujourd'hui. Cet homme que l'on présente comme le « meilleur champion des tournois » a été ton maître d'armes pendant de longs mois et tu as hâte d'admirer ton ami. Beaucoup de spectateurs n'ont fait le déplacement que pour assister à cette fameuse mêlée.
« Ah, comme j'aimerais faire partie des leurs ! » te dis-tu en les regardant se regrouper sur le terrain.
Tu aperçois alors Le Maréchal qui te fait signe de le rejoindre. Le cœur battant, tu t'approches. Tu n'en crois pas tes oreilles : il te propose de participer à la mêlée !

Si tu acceptes sans hésiter, va en 26.

Si tu refuses, car tu dois participer à un autre combat, va en 25.

C'est bon à savoir !

Les tournois apparaissent au 11e siècle, époque à laquelle ils ont lieu sans règles précises : tous les chevaliers se mêlent en un combat furieux, la **mêlée** !

17

Ta nouvelle fonction de chevalier de « maison » n'est malheureusement pas aussi exaltante que tu pouvais l'imaginer. Le seigneur Arnaud est très exigeant envers ses vassaux. Dès qu'il soupçonne l'un d'eux de vouloir lui désobéir, tu es chargé d'aller lui donner une leçon. Avec une dizaine de compagnons, tu saccages alors ses récoltes ou pilles ses fermes. De plus, tu trouves qu'Arnaud te traite plutôt en écuyer qu'en chevalier : tu dois être à ses côtés du matin au soir. Tu n'as même pas le loisir de passer du temps auprès d'Yseult, sa charmante fille.

Un soir, alors qu'aucune menace n'est à craindre, il te demande d'aller porter renfort aux gardes qui font le guet sur le chemin de ronde.

***Si tu acceptes, va en* 4.**

***Si tu refuses, et échanges avec lui quelques mots vifs, va en* 30.**

18

Jamais le seigneur n'aurait imaginé trouver son domaine en si bon état à son retour. Les routes sont empierrées, les moulins sont reconstruits. Les ponts sont dotés d'un péage : les marchands doivent s'acquitter de quelques piécettes pour faire passer leur cargaison.
Les retrouvailles sont évidemment des plus cordiales. Le banquet d'accueil organisé dans la grande salle du château est somptueux. Une fois rassasié, le seigneur se lève et pose sa large main sur ton épaule.
– Chevalier, tu as su faire fructifier mon domaine mieux que je ne pouvais l'espérer. Pour t'en remercier, je te donne ma fille !
Confus, tu ne peux que bégayer quelques mots de remerciements. Te voilà tout à coup fiancé, heureux et riche seigneur…

Bravo ! Toi, simple chevalier, tu as réussi à te faire admettre dans une des familles les plus puissantes du duché ! Empoche 20 points en cochant la case rouge en 47… et retente ta chance puisque tu sembles être en veine !

19

Tu brûles d'impatience de te battre. Les tribunes sont pleines de bourgeois et de paysans venus assister au spectacle. Tu t'inscris pour le prochain combat.
Tu es aussitôt pris à partie par trois jeunes chevaliers. L'un d'eux coince ton cheval contre une palissade et crie :
– Holà, voilà un blanc-bec qui nous fait l'honneur de son premier tournoi !
– Il paraît que c'est un chevalier de parade qui ne sait que tourner autour des filles en leur murmurant des vers galants ! ricane l'un de ses amis.

Si tu décides de provoquer en duel celui qui t'a insulté, va en 38.
Si tu préfères ne pas tenir compte de ces jeux de gamins, va en 29.

C'est bon à savoir !

Pour se défendre, le chevalier a une épée, une lance et une hache. Pour se protéger, il possède un bouclier, l'écu, qui est orné de ses **armoiries**.

20

Les préparatifs battent leur plein lorsque tu déboules au grand galop dans le campement où se sont réunis tous les participants au combat.
Dès le lendemain, tu prends la tête de trente chevaliers prêts à se lancer dans la mêlée. Mais voilà qu'au dernier moment, Arnaud, l'un des meilleurs combattants de ton équipe, change de camp pour remplacer un chevalier adverse dont le cheval est blessé.
« Artus ! Artus ! Artus ! » La foule scande ton nom pendant que le **héraut** fait ton éloge. Puis il sonne de la trompette pour lancer le départ.

Si tu décides de te charger toi-même d'Arnaud, que tu soupçonnes d'avoir été soudoyé par l'équipe adverse, va en 41.

Si tu préfères laisser les autres s'en occuper va en 28.

réponse en 45

20. Lors d'un tournoi, le **héraut**, c'est celui qui :
A. remporte toutes les épreuves.
B. présente les chevaliers ou annonce le début des épreuves.
C. astique les armures.

21 Durant les mois qui suivent, tu ne comptes plus les Sarrasins que tu passes au fil de ton épée… Mais tu finis par te lasser de ces combats sanglants. Les vols sur les cadavres et les massacres d'innocents qui font partie de vos actions quotidiennes te répugnent ! Un soir, alors que ta troupe campe près de Jérusalem, tu t'emportes en entendant des chevaliers raconter joyeusement les terribles sévices qu'ils ont fait subir aux Sarrasins.

– Morbleu ! Où est passé votre fameux sens de l'honneur ? t'exclames-tu en te dressant face à eux, rouge de colère. Existe-t-il donc deux sortes de chevaliers ? Ceux qui, chez nous, ne doivent pas porter la main sur des innocents, et ceux qui, en Palestine, se plaisent à tuer femmes et enfants et à dépouiller les morts ?

Tu vois bien que ton accès de colère déplaît à l'assistance.

Si tu décides de quitter la Terre sainte, va en* 35 *.

Sinon, reprends ton calme et va en* 37 *.

22

Sous le regard médusé de quelques combattants qui reprennent haleine de l'autre côté des palissades, tu commets l'irréparable. Tu enfreins d'un seul geste une règle des tournois. Tu viens en effet d'envoyer un grand coup d'épée dans le dos d'un adversaire !

– Il doit être puni ! hurlent les spectateurs. Qu'on l'arrête !

Six hommes te font aussitôt descendre de ton cheval et t'arrachent ton **heaume**. Sous les huées de la foule, tu es chassé du tournoi.

Jugé indigne de combattre au sein de la chevalerie, tu erreras de château en château en louant avec difficulté tes services de soldat mercenaire.

As-tu oublié le code de la chevalerie ? Frapper un adversaire dans le dos est totalement indigne. Ressaisis-toi, que diable ! Et sauve ton honneur grâce à une nouvelle aventure…

réponse en 45

22. Le **heaume**, c'est :

A. un foulard blanc offert par une gente dame.
B. un pantalon bouffant avec de légères pattes d'éléphant.
C. un casque.

23

Ton adversaire sait bien tenir sa lance ! Il touche ton **écu** le premier et te fait vaciller. Tu fais volte-face pour essayer de le rattraper ! Il fonce maintenant au galop en direction du petit bois, où tu le retrouves. Il est descendu de sa monture et t'attend de pied ferme…

– Prêt à recevoir une bonne leçon ? crie-t-il pour te provoquer. Le premier qui met son genou à terre perd son destrier !

En voyant la lueur mauvaise dans les yeux du jeune homme, tu comprends que tu vas avoir affaire à un redoutable adversaire et qu'un duel à l'épée sans merci va s'engager.

***Si tu décides d'attaquer le premier, va en* 39.**

***Si tu attends un signal de sa part, va en* 41.**

réponse en 45

23. L'**écu**, c'est :

A. le postérieur du chevalier.

B. un grand bouclier.

C. une médaille qui sert de cible en haut de l'armure.

24

En fin de journée, tu t'arrêtes dans une taverne pour te reposer. Alors seulement, tu comprends ton erreur : la porte s'ouvre et entre un homme, soutenant une gente demoiselle toute tremblante, que tous reconnaissent comme la nièce du seigneur. Il la confie aux bons soins d'une servante avant d'expliquer son aventure à l'assemblée.

– Je faisais ma sieste dans les prés, lorsque j'ai été réveillé par des cris : cette gente dame appelait un chevalier à l'aide. Il a continué son chemin en faisant comme s'il ne l'entendait pas et m'a quasiment renversé alors que j'allais lui porter secours !

Soudain, il t'aperçoit et s'écrie :

– Mais c'est lui, je le reconnais !

Oups ! Tu files un mauvais coton... Va vite en 7 !

25

Avec une trentaine de chevaliers, tu fais partie de la première mêlée. Les coups fusent et, dans le fracas des armes, vous parvenez à rompre la ligne des attaquants adverses. Il s'agit maintenant de traquer les plus esseulés afin de les faire prisonniers.

– Allez, viens, l'ami ! hurlent Raoul et Robert, tes deux compagnons d'adoubement. Coinçons ce chevalier à l'armure rutilante…

Vous le harcelez, mais ses compagnons viennent à sa rescousse et la bousculade te fait perdre de vue tes camarades. Te voilà soudain seul, encerclé ! Les coups pleuvent et tu as bien du mal à rester en selle. Tu enrages !

Allez, chevalier, montre-nous ce que tu as dans le ventre en 22.

26

La lutte s'engage. Vous devez vous emparer des chevaliers adverses. La puissance de l'équipe de Guillaume Le Maréchal les met rapidement en déroute.
– Voilà ce qui s'appelle une sacrée défaite ! s'exclame ton ami en voyant s'enfuir ses derniers adversaires.
Il se dirige alors vers la tribune d'honneur pour saluer la dame dont il a porté les couleurs et te propose de le suivre pour te la présenter.
– Gente dame, sachez qu'un chevalier se bat toujours mieux sous le regard d'une belle, lui dit-il galamment en attrapant au vol le tissu brodé qu'elle envoie en votre direction.
– Désolée, Le Maréchal, lui crie-t-elle en prenant un air amusé, mais mon écharpe est pour ce fringant chevalier. C'est lui que j'invite au banquet ce soir pour fêter votre victoire !

Si tu *acceptes*, va en 31.
Si tu *refuses*, de crainte de vexer ton ami, va en 40.

C'est bon à savoir !

Au Moyen Âge, les **mariages** nobles ne se font pas par amour. On marie ses enfants pour s'allier à une famille puissante ou agrandir ses terres.

27

Le premier combat commence. Ton audace suscite l'admiration des spectateurs, ta générosité envers les combattants en difficulté gagne le cœur des dames.
Soudain, le public pousse un cri d'effroi : un enfant, qui s'était penché à la tribune pour suivre l'attaque de plus près, vient de tomber sur le terrain ! Tu sautes de ton cheval et bondis vers le petit qui hurle de terreur. Tu l'attrapes et cours le mettre à l'abri du combat qui se poursuit. Quelques instants plus tard, tu rends l'enfant, sain et sauf, à sa mère.
Le seigneur Arnaud prend alors la parole :
– Je te donne ma fille, Yseult, dit-il en te pointant du doigt. Car tu as été le seul à remplir ton devoir de chevalier en quittant le jeu pour sauver un enfant.
Sous les hourras de la foule, le seigneur prend tes mains et les joint à celles de sa fille !

Tu t'es comporté en héros en sauvant cet enfant. Bravo ! Voici 20 points de récompense ! Coche la case violette en 47 . Le grand chevalier que tu es ne peut que retenter sa chance dans une nouvelle aventure...

28

Tu veux marquer un maximum de points en capturant le plus de chevaliers adverses possible. On ne voit plus que ton heaume étincelant dans la mêlée. D'un bout à l'autre du terrain, tu harcèles tes adversaires et cognes leurs « chapeaux de fer » avec le plat de ton épée pour les étourdir, laissant ensuite tes équipiers les attraper. Les hérauts comptent tes coups et les spectateurs t'encouragent.

Soudain, tu reçois à ton tour un terrible choc sur la tête. Ton heaume se retourne, et l'avant passe à l'arrière ! Aveuglé, incapable de le remettre en place, fou de rage d'avoir été pris à ton propre piège, tu agites ton épée en tous sens en espérant ainsi te protéger des coups malveillants.

***Quelle mauvaise passe ! Va en* 22 .**

29

Tu connais bien ces petites taquineries. Elles font partie des jeux préférés des jeunes chevaliers en quête de renommée.
– J'ai été l'écuyer du chevalier Guillaume Le Maréchal ! leur cries-tu. C'est lui qui m'a appris à manier la lance et l'épée… Voulez-vous que je m'amuse avec vous ?
La stupéfaction et le respect se peignent sur leurs visages. Ils font prestement demi-tour, sans poursuivre leurs moqueries.
La nouvelle circule vite dans les tribunes :
« Artus a été formé au combat par Le Maréchal, le fameux tournoyeur, celui qui n'a jamais perdu aucun combat ! »
Tu regrettes un peu de t'être ainsi vanté…
« J'ai intérêt à ne pas ternir la réputation de mon ami Guillaume », te dis-tu en rejoignant une des équipes de chevaliers qui entame une mêlée.

Si tu te jettes sur tes adversaires avec le gros de la troupe d'assaillants, va en 25.
Si tu préfères faire un coup « à la maréchal », va en 8.

C'est bon à savoir !

Avant de devenir chevalier, le jeune noble est d'abord **page**, puis écuyer. L'écuyer tient son nom de l'écu, le bouclier du chevalier qu'il est chargé de porter.

30

Tu rumines ta colère, mais la nuit te porte conseil.

« Je ne vais pas m'encroûter ici plus longtemps. J'en ai vraiment assez de cet odieux tyran… »

Après avoir longuement pesé le pour et le contre, tu décides au petit matin de reprendre ta liberté. Tu quittes le château et pars rejoindre Le Maréchal que tu sais prêt à prendre la mer pour gagner la Terre sainte… Mais, en chemin, tu es retardé par un incident.

– À l'aide, chevalier !

Une femme, faite prisonnière par des bandits, hurle en agitant son bras dans ta direction. Tu hésites à t'approcher, car dans ces campagnes isolées, cela peut être un piège pour détrousser les voyageurs solitaires.

Si tu te risques à aller porter secours à la femme en détresse, va en 6 *.*

Si tu préfères poursuivre ta route, va en 24 *.*

31

– Méfie-toi de cette dame, Artus, te glisse Geoffroy tout en t'aidant à t'habiller pour le banquet. Elle aime s'entourer de jeunes chevaliers pour provoquer son jaloux de mari. Plus d'un a reçu une dure leçon pour avoir osé s'approcher d'elle de trop près… Malgré ses conseils avisés, tu ne peux t'empêcher, le soir venu, d'accepter de t'asseoir à ses côtés. La cuisine est raffinée. Tu te régales de chevreaux à la sauce dorée, de cailles rôties, de tourtes et de potages. Tu es bien sûr aux petits soins pour ta voisine de table : devançant les serviteurs, tu lui coupes des morceaux de viande et les déposes délicatement sur son tranchoir, la large tranche de pain qui lui sert d'assiette, tu lui fais goûter le vin dans ton gobelet… sans te soucier du regard sévère du mari qui, attablé plus loin, vous observe.

Après le festin, voyons quel est le programme des divertissements ! Passe vite en 13.

C'est bon à savoir !

Le chevalier joue parfois le rôle d'« amoureux » de l'épouse du seigneur. Cet « amour courtois », chanté par les **troubadours**, doit rester chaste et secret.

32

– Remporte pour moi toutes les récompenses du tournoi de Tancarville qu'organise mon père le mois prochain ! te lance-t-elle, moqueuse…

– Promis, gente demoiselle, lui réponds-tu à voix basse avant de retourner te poster sur le chemin de ronde.

Tous les jours, tu t'entraînes à la **quintaine** et tu croises l'épée avec Geoffroy et d'autres chevaliers pour être au meilleur de ta forme. Un mois plus tard, tu t'installes avec ton écuyer dans le campement qui borde les terrains du tournoi. Ta technique est parfaite, ton moral au beau fixe.

La parade des chevaliers annonce le premier jour du tournoi. Dans la tribune des dames, ta belle prestance provoque un certain émoi… Tu aperçois Yseult au premier rang.

Si tu décides de te faire faire un blason avec de belles armoiries avant ton premier combat, va en ***42******.***

Si tu préfères profiter des quelques instants qui te restent pour t'échauffer un peu, va en ***27******.***

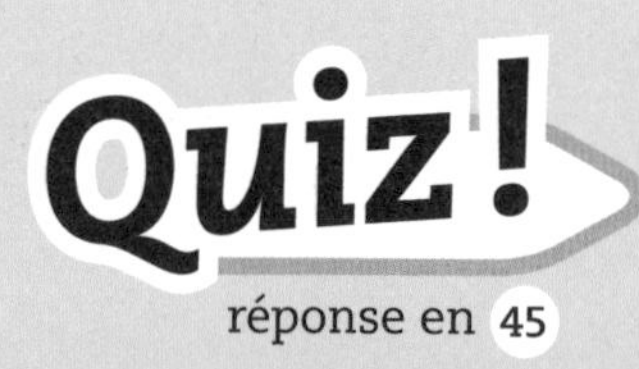

réponse en 45

32. La **quintaine**, c'est :

A. un combat contre quinze chevaliers.
B. un mannequin monté sur un poteau pivotant.
C. un tournoi de quinze heures d'affilée.

33

Avec l'aide d'un soldat, tu retires une partie de ta lourde armure qui t'empêche de te déplacer à pied, et te diriges vers le donjon, suivi de quelques hommes. À peine as-tu fait trois pas qu'une flèche, puis deux autres viennent se ficher à tes pieds…
C'est alors qu'un formidable tir de **mangonneau** atteint la tourelle où se trouve l'arbalétrier. Tu en profites pour courir vers le donjon avec tes soldats et faire prisonnier le seigneur apeuré. Dès le lendemain, tu obtiens les faveurs du baron…
– Chevalier Artus, ce petit château a besoin d'un seigneur fidèle à son roi, t'annonce-t-il. Qu'en dirais-tu ?
Tu ne t'attendais pas à une aussi grande récompense, car ton action durant l'assaut a été de courte durée. Bien sûr, tu l'acceptes : te voilà devenu châtelain !

Belle récompense pour un chevalier de ton âge !
Tu enrichis ton butin de 20 points. Coche la case rose en **47**
et entame une nouvelle aventure, de nouveaux succès s'offrent peut-être à toi !

réponse en 45

33. Le **mangonneau**, c'est :

A. une sorte de grosse catapulte.
B. le premier canon de l'histoire des hommes.
C. une mitraillette projetant des œufs pourris.

34

Tu n'en reviens pas d'être vivant ! Tu as dû traverser de terribles épreuves pour arriver jusqu'en Palestine. Tu as d'abord courageusement fait face aux attaques surprises des guerriers sarrasins avec Le Maréchal. Puis vous vous êtes séparés. Guillaume est parti avec une petite armée vers le lac de Tibériade et toi, tu es resté avec le gros de la troupe près de Jérusalem.

Durant des années, avec pour unique ami ton fidèle Geoffroy, tu as vaillamment combattu l'infidèle. À l'arrivée de Richard Cœur de Lion, tu as rejoint les chevaliers chargés de surveiller les abords de Jérusalem. Tes prouesses ont fait de toi un de ses meilleurs combattants.

Il est l'heure d'aller faire ta tournée quotidienne :
Geoffroy t'attend en 11 !

C'est bon à savoir !

Lors de son **adoubement**, le chevalier fait vœu de respecter le code de la chevalerie. Il jure ainsi de défendre l'Église, de protéger les faibles et, bien sûr, d'aider et de respecter son seigneur.

35

L'occasion de quitter la Terre sainte se présente. Un croisé te fait une proposition séduisante : il cherche un chevalier pour aller mettre de l'ordre dans son domaine normand.

– Mes terres et leurs habitants souffrent de mon absence. Les pillards nous harcèlent, les paysans se disputent, les voisins essayent de me voler des terres. J'ai besoin d'un homme de poigne pour régler tous ces problèmes.

L'affaire est rondement menée : une nuit suffit à convaincre le seigneur que tu es son homme. Dès le lendemain, il te donne l'argent nécessaire à ton voyage de retour au pays. Un pays que tu retrouves avec émotion quelques mois plus tard...

Direction la Normandie, pour prendre tes nouvelles fonctions !
***Va vite en* 9.**

36

Heureusement, en tant que chevalier, on ne t'oblige pas à faire les « basses besognes » : passer au fil de l'épée toute personne appartenant au château qui oppose un peu de résistance, par exemple... Les coups pleuvent. Les boulets de pierre lancés au-dessus des remparts détruisent les toitures et les galeries en bois qui entourent les tours et les remparts. Les flèches enflammées, lancées du **beffroi** par vos archers, embrasent les toitures de chaume des bâtiments et provoquent un incendie.

Le feu déclenche une débandade : les assiégés quittent le château et se rendent.
– À toi de nous montrer ta vaillance! s'exclame le baron. Va me déloger le seigneur de son donjon, il va nous rapporter une belle rançon.

Si tu t'engages au galop dans la cour du château, va en 5 *.*
Si tu préfères y aller à pied, va en 33 *.*

37

La rumeur ne tarde pas à faire le tour du camp. Tu es convoqué par le roi Richard.

– Chevalier, te dit-il, tu mériterais d'être brûlé pour oser parler ainsi. Mais nous avons eu trop de pertes dans nos rangs pour cela. Pars à Antioche, loin de ma vue ! Tu feras travailler les paysans sur les terres que nous avons prises aux Sarrasins. Quelle chance, tu ne pouvais espérer mieux ! Dès ton arrivée, tu t'installes dans une luxueuse maison. Finies les soirées sinistres dans les sombres châteaux froids et nus d'Occident, l'eau glaciale tirée du puits pour se laver le matin… Dans ta nouvelle demeure aux jardins somptueux, tu t'abandonnes doucement à une vie de confort et d'amusement… jusqu'à la fin de tes jours !

Chevalier, tu as eu chaud, mais la chance t'accompagne !
Coche la case bleue en 47 et empoche 20 points.
Et si tu rejouais ? Qui sait ce que le sort te réserve…

C'est bon à savoir !

En Terre sainte, un nouveau genre de forteresse voit le jour : le château concentrique à double muraille, comme le célèbre **krak** des chevaliers, dans l'actuelle Syrie.

38

C'est souvent ainsi que les jeunes chevaliers se font remarquer par des seigneurs qui passent de tournoi en tournoi pour repérer les bons combattants. Tu ne veux donc surtout pas rater cette occasion de montrer ce que tu vaux.
– Suis des yeux la pointe de mon épée, chevalier à la langue bien pendue, t'écries-tu d'une voix forte en t'adressant à celui qui t'a insulté. C'est là-bas, dans la prairie près du petit bois, que je vais me faire un plaisir de te battre.
Tu galopes vers la prairie où plusieurs escarmouches de ce type ont déjà eu lieu dans la matinée. Une poignée de spectateurs avertis vous y rejoignent. À une centaine de mètres de distance, vous marquez l'arrêt, avant de foncer l'un sur l'autre, la lance pointée en avant.

Si tu décides de viser son épaule, va en 14.

Si tu préfères essayer de le faire chuter en frappant son écu, va en 23.

C'est bon à savoir !

Au 12e siècle, le chevalier porte une cagoule en mailles de fer, le **camail**, une armure en mailles de fer, le haubert, et des chausses en mailles de fer !

39

Autour de vous, des chevaliers et des invités se pressent pour ne rien perdre du spectacle. À l'habileté de ton adversaire, tu opposes une adresse naturelle. Mais les épées sont lourdes et, le corps dégoulinant de sueur sous votre haubert, vous luttez en attendant que la fatigue fasse tomber l'un de vous deux. Essoufflé, tu sens que les forces commencent à te manquer…
Heureusement, à ce moment-là, un seigneur hurle à qui veut l'entendre qu'il engagera le gagnant à son service dans son château normand. Cette annonce te redonne de l'ardeur. Tu dresses ton épée à deux mains au-dessus de ta tête et, avec un grand cri, l'abats sur le casque de ton adversaire ! Assommé, il chancèle.

Hourrah ! Tu es le meilleur et tu viens d'être engagé par un riche seigneur normand ! Va le rejoindre en 17 .

40

Ce soir Le Maréchal part pour la Normandie ! Il accepte de te conduire avec Geoffroy chez un de tes cousins, le seigneur Arnaud, qui t'a invité à lui rendre visite dans son château fort. À peine arrivé, ce dernier te propose de l'aider à surveiller ses vassaux et de l'accompagner à la guerre. Tenté, tu confies à Le Maréchal ton désir d'accepter.

– Je suis fier de ton choix, te répond solennellement Le Maréchal, car mettre son épée au service d'un grand seigneur est un devoir pour un chevalier. Mais je me rends, quant à moi, en **Terre sainte** : j'avoue que j'aurais bien aimé t'avoir comme compagnon de route…

***Si tu décides de rester avec Arnaud, va en* 17.**

***Si tu préfères suivre Le Maréchal, va en* 34.**

réponse en 45

40. La **Terre sainte**, c'est :

A. une terre où les plantes poussent miraculeusement bien.

B. une terre couverte d'églises et de croix.

C. les États chrétiens fondés par les chevaliers.

41

Soudain, sans prévenir, il se lance sur toi ! D'un coup sec, il fait voler ton casque et te blesse à la gorge. Abasourdi, tu te retrouves tête nue ; tes yeux s'agrandissent de terreur, tu recules... Au moment où tu fais volte-face, tu sens son épée déchirer ton haubert et t'entailler le dos ! Tu sautes sur ta monture et t'enfuis.

« Il ne m'a même pas averti avant de commencer le combat », grommelles-tu, furieux, en remarquant qu'aucun de tes amis ne t'a rejoint. Tu regagnes donc seul le camp pour faire soigner les profondes entailles qui saignent abondamment le long de ton cou et de ton dos.

Allez, l'ami, prends un peu de repos en 12.

42

Quelques heures plus tard, à la taverne, tu parades avec ton nouvel écu, décoré d'un aigle aux ailes dorées à la feuille d'or. Tout fier, tu confies à qui veut bien l'entendre l'incroyable somme que t'a coûtée le chef-d'œuvre.

– Cet aigle peint sur mon écu, symbole de force et de domination, m'a valu presque aussi cher que mon cheval. Seuls moi et mes descendants aurons le droit d'utiliser ce motif.

Tous les chevaliers, écuyers, hérauts attablés se mettent alors à rire, à se moquer de toi, à te huer…

– Tu t'es fait avoir ! s'écrie alors l'aubergiste. Cet emblème, c'est le même que celui de l'enseigne de ma taverne !

Furieux, tu ne veux pas leur laisser le dernier mot.

– Silence! ordonnes-tu en brandissant ton épée d'un air menaçant. Que les plus courageux viennent donc combattre dehors, s'ils l'osent !

Allez, tous en 15 !

43 Tu t'engages dans l'ordre des Templiers. Pauvreté, chasteté, obéissance sont les trois vœux que tu prononces en enfilant le vêtement blanc marqué d'une croix rouge de l'ordre des moines soldats.

Pour ta première mission, te voilà avec quelques autres Templiers dans le désert. Vous devez assurer la protection des **pèlerins** chrétiens qui traversent cet endroit particulièrement périlleux. Soudain tu vois un nuage de poussières s'élever à l'horizon…

– Des Turcs, là-bas ! hurles-tu en ordonnant aux voyageurs de courir se cacher derrière un monticule de terre.

De ta grande épée, tu frappes l'ennemi. Rien ne semble pouvoir t'arrêter, mais les soldats musulmans sont en bien trop grand nombre… Ton corps est vite criblé de blessures mortelles. Tu tombes de ton cheval, brandis une dernière fois ton épée avant de t'effondrer sur le sol brûlant.

Quelle fin triste, mais héroïque, pour un chevalier !
Prêt pour une nouvelle aventure ?

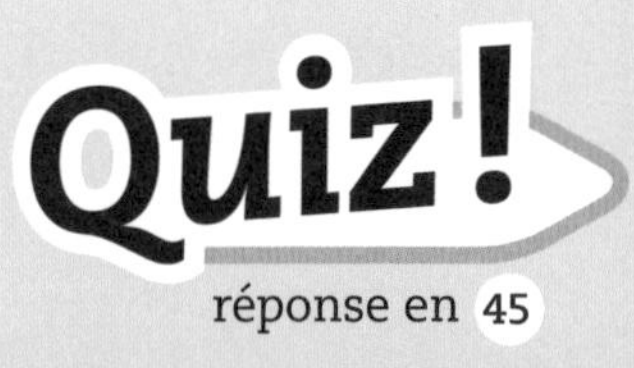

réponse en 45

43. Un **pèlerin**, c'est :

A. un ouvrier qui creuse le sol à la recherche de pierres précieuses.

B. un voyageur couvert de coups de soleil.

C. une personne qui se rend dans un lieu saint.

Quel héros es-tu ?

réponses en 46

44 Vrai ! Faux !

Améliore ton score pour prétendre au rang suprême
de la chevalerie ! Si tu as été malin, tu dois connaître la vérité !
Ne dit-on pas qu'elle est toujours... bonne à savoir ?

1. L'armure qui protège le cheval au combat s'appelle un carapaçon. .... *Vrai / Faux*
2. En Syrie aujourd'hui, il y a une forteresse qui s'appelle le krok des chevaliers. .... *Vrai / Faux*
3. Un noble qui commet un crime très grave est décapité. .... *Vrai / Faux*
4. Le bouclier du chevalier porte ses armoires. .... *Vrai / Faux*
5. Au Moyen Âge, les mariages nobles ne se font pas par amour. .... *Vrai / Faux*
6. Avant de devenir chevalier, le jeune noble est d'abord page. .... *Vrai / Faux*
7. La cagoule en mailles de fer du chevalier s'appelle une canaille. .... *Vrai / Faux*
8. Le tournoi du 11e siècle oppose plein de chevaliers en un combat furieux... comme au rugby aujourd'hui. .... *Vrai / Faux*
9. Le chevalier est soumis à un seigneur qui est son vassal. .... *Vrai / Faux*
10. L'amour courtois est chanté par les troupahourds. .... *Vrai / Faux*

45 Quiz ! Les bonnes réponses !

2	Réponse C	10	Réponse B	32	Réponse B
3	Réponse B	20	Réponse B	33	Réponse A
4	Réponse A	22	Réponse C	40	Réponse C
9	Réponse A	23	Réponse B	43	Réponse C

Pour chaque bonne réponse, coche une case verte (5 points) dans le tableau ci-contre.

46 Vrai ! Faux ! Les bonnes réponses !

1 Faux ! C'est un caparaçon.

2 Faux ! C'est le krak des chevaliers.

3 Vrai !

4 Faux ! Il porte ses armoiries.

5 Vrai !

6 Vrai !

7 Faux ! C'est un camail.

8 Vrai ! Et ce combat s'appelle la mêlée.

9 Faux ! Le seigneur est le suzerain du chevalier.

10 Faux ! Il est chanté par les troubadours.

Pour chaque bonne réponse, coche une case orange (10 point[s]) dans le tableau ci-contre.

47 Combien de points as-tu ?

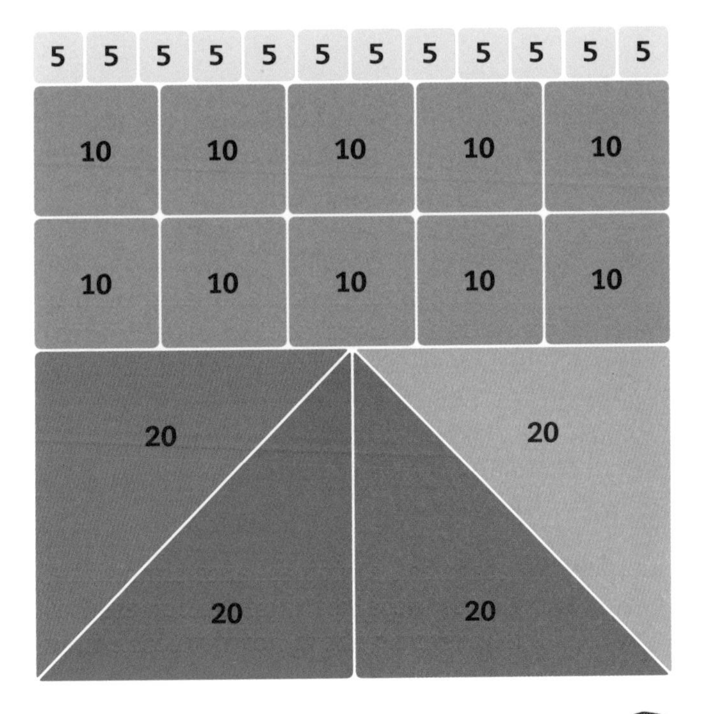

Additionne tous les points des cases cochées pour obtenir ton score et va en 48 *pour découvrir ton grade de chevalier !*

48

Quel chevalier es-tu ?

240 points

Tu as plus de 160 points ?

Chevalier Légendaire

Touches-tu encore le sol ? Tu es le parfait des parfaits, le chevalier sans peur et sans reproche… Tu connais la chevalerie sur le bout de ta lance et fais preuve d'un courage à toute épreuve. Tu entres dans la légende !

Tu as entre 80 et 160 points ?

Chevalier Au Grand Cœur

Bravo ! Tu fais preuve de sang-froid face à l'adversité et tu sais combattre vaillamment ! Encore quelques efforts : il suffit d'un coup de chance pour entrer dans la légende !

Tu as moins de 80 points ?

Chevalier Intrépide

Le code de la chevalerie et toi, ça fait deux… Pas d'inquiétude, tu es sans doute encore un peu impulsif ! Continue à t'entraîner, ça t'aidera à prendre les bonnes décisions.

0 point

Tu t'es bien battu, mais as-tu fait tous les bons choix ? Rejoue jusqu'à obtenir le meilleur score !

Découvre les autres titres de la collection et…
GLISSE-TOI DANS LA PEAU DE TOUS TES HÉROS !
Dans la peau d'un chevalier
LE TOURNOI DE TOUS LES DANGERS
Nathan